Enseignement moral et religieux catholique

Première année du primaire

Cherchons ses traces

Manuel de l'élève

NICOLE DURAND-LUTZY

Office de catéchèse du Québec

FPR • CEC

Cet ouvrage est conforme aux orientations définies par l'Assemblée des évêques du Québec.
Et il a été revu par un évêque accompagnateur du comité épiscopal de l'éducation.

Conception, recherche et rédaction : Nicole Durand-Lutzy
Collaboration : Nicole Monette Frèreault
Révision biblique : Jean-Pierre Prévost, s.m.m.
Collaboration à la rédaction : Pierre Guénette
Évêque accompagnateur : Mgr Vital Massé

Éditeur : Michel Maillé
Responsable du projet : Jean-François Roussel
Coordination éditoriale et révision linguistique : Diane Aubry-Martin
Direction artistique : Gianni Caccia
Illustrations : Daniel Sylvestre, Sylvie Deronzier (pictogrammes)
Infographie : Design Copilote
Source des photos : Arto Dokouzian, Peter Krushelnyski et © Réflexion Photothèque

BQT
3136
D 868
.1998
MANUEL

Dépôt légal : 1er trimestre 1998
Bibliothèque nationale du Québec
Bibliothèque nationale du Canada
ISBN : 2-89499-004-9
Imprimé au Canada

© Les éditions d'enseignements religieux FPR inc.

316, rue Benjamin-Hudon

Saint-Laurent (Québec)

H4N 1J4

Téléphone : (514) 745-6500 Télécopie : (514) 745-4710

© Les Éditions CEC inc.

8101, boul. Métropolitain Est

Anjou (Québec)

H1J 1J9

Téléphone : (514) 351-6010 Télécopie : (514) 351-3534

Table des matières

Bonjour !

Cette année, tu rencontreras des personnages grâce à **Passeport**, ton guide bien spécial.

Passeport te conduira à la recherche de Quelqu'un. Ce Quelqu'un ne se laisse pas voir. Mais il laisse partout des traces de sa présence.

Bonnes découvertes !

Nicole

Bonjour ! Je m'appelle **Passeport**. Je suis un âne spécial.

Je voyage dans le temps. Je parle avec des enfants. Je découvre leur histoire.

Voici le secret qui me fait voyager.

Je lève la tête. Mes oreilles deviennent **jaunes**. Je suis à Nazareth avec Sara et Joël, il y a très très longtemps.

Je baisse la tête. Mes oreilles deviennent **bleues**. Je suis près de chez toi avec Kim et Alexandre.

Prépare-toi. De belles aventures nous attendent !

Voici un code de la route. Il te guidera pendant tes aventures. Suis bien ce code.

Il t'aidera dans tes recherches.

Je me prépare

- J'écoute les consignes.
- Je me rappelle mon expérience.
- Je raconte ce que je sais.

Je fais une recherche

- Je m'informe.
- J'écoute les explications.
- Je réfléchis.

Je m'arrête

- Je raconte mes découvertes.
- Je choisis la découverte que je trouve importante.
- Je partage ma découverte avec les autres.

1 Il était une fois...

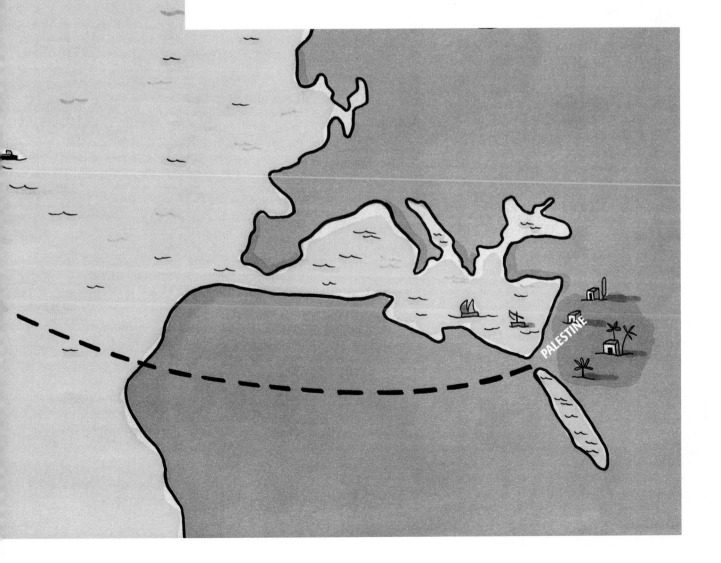

Est-ce que les enfants de Nazareth vivaient comme moi ?

Jésus vivait à Nazareth avec son papa et sa maman. Jésus jouait avec ses amis. Il allait à l'école. C'est tout ce que je sais. J'aimerais connaître plus de choses sur Jésus. Viens. Allons rejoindre…

Kim, Alexandre et leurs amis

1 Jouons au ballon.

2 J'aime mieux aller à vélo.

1 Je fais un château de sable. Aide-moi.

2 Une autre fois. Mes amis m'attendent.

1 Je ne sais pas quoi faire.

1 À votre âge, je jouais pendant des heures avec mes amis.

2 Est-ce que les enfants ont toujours aimé jouer ?

J'aimerais me promener en patins à roues alignées. Je serais le plus beau des ânes !

2 Moi non plus.

Est-ce que les enfants de Nazareth vivaient comme nous ?

Allons voir. Accrochez-vous à mes oreilles. Joël et Sara nous attendent à Nazareth. En route !

Nous sommes arrivés à Nazareth !

(illustration)

Voici Joël.
Il a 6 ans et demi.

Voici sa sœur, Sara.
Elle vient d'avoir 12 ans.

Je suis
heureuse
de te
connaître.
Je te
présente
ma famille.

Ma petite sœur
Myriam a trois ans.

Ma mère s'appelle
Rachel et mon père,
Philippe.

Mon grand-père
nous raconte souvent
l'histoire de Jésus.

Ma façon de vivre

 Nous allons te raconter nos journées à Nazareth. Avant de commencer, **nous aimerions savoir comment tu vis**.

► Choisis les réponses de ton choix.

Mon activité préférée est :

Mon fruit préféré est :

Mon animal favori est :

Je vais à l'école :

Le matin, je mange :

La fête que je préfère est :

 Regarde les pièces de la maison.

► Relie avec ton doigt les objets et les pièces de la maison où les objets se trouvent.

La façon de vivre des enfants de Nazareth

 À notre tour maintenant !
Voici comment nous vivons.

 Grand-père dit que Jésus
vivait comme nous.

Notre maison est simple et confortable. Papa a fabriqué tous les meubles.

J'ai toujours faim ! J'apporte une figue pour ma collation à l'école.

Je ramasse mes sous. Je veux acheter un beau vase pour maman.

À l'école, j'apprends à lire et à écrire. Mon professeur nous parle souvent de Dieu.

Le matin, je vais à la fontaine avec ma mère. Maman parle avec ses amies.

Ma mère lave le linge à la main et l'étend au soleil. Je l'aide de mon mieux. Ma petite sœur Myriam joue dans la cour avec sa poupée.

Je vais au marché avec maman deux fois par semaine. Ma mère achète du poisson, des fruits, des légumes, des olives.

Papa me montre comment utiliser ses outils. Je veux devenir charpentier comme lui.

Oncle Jean est un pêcheur. Il a une barque et un grand filet. Des amis de Jésus aussi étaient des pêcheurs.

Un ami de notre famille est un paysan. Il a des vignes et des oliviers. Il vend ses légumes au marché.

Mon cousin préféré est berger.
Il connaît toutes ses brebis.
Il les protège des loups.

Le soir, papa nous raconte
l'histoire de nos ancêtres.
Il nous parle de Dieu.

Mon père va prier à la synagogue chaque vendredi soir. C'est le début
du sabbat. Le sabbat est une journée réservée à Dieu.

► Nomme les activités qui
ressemblent aux tiennes.

► Nomme les choses qui sont
nouvelles pour toi.

Jésus aussi allait à
l'école. Il travaillait
avec son papa.
Ses parents lui
parlaient de Dieu.

Une journée à Nazareth

Imagine que tu es à Nazareth avec Joël et Sara.
Que vois-tu dans les rues ? Qu'est-ce que les
grandes personnes et les enfants font ?

Est-ce que Moïse était tout seul ?

Sara, Joël et leurs amis

Imagine-toi à la place de Jessé. Quelqu'un t'a sauvé d'un danger. **Comment te sens-tu? Que ferais-tu pour remercier la personne qui t'a sauvé la vie?**

▶ Choisis la figure que tu ferais. Dis pourquoi tu ferais cette figure.

▶ Choisis le dessin qui illustre ce que tu ferais.

Grand-père, raconte-nous...

Moïse est mon héros préféré. Il a vécu il y a très très longtemps. Le grand-père de mon papa n'était même pas né ! À chaque fête de la Pâque, mes parents me racontaient l'histoire de Moïse. Écoutez bien...

Notre ancêtre Joseph travaillait pour le roi d'Égypte. Ce roi s'appelait le pharaon.

Le père et les frères de Joseph sont allés vivre en Égypte. D'autres familles ont fait la même chose. On les appelait les Hébreux. On les appelle aussi les Juifs.

Les Hébreux sont devenus très nombreux. Le pharaon n'était pas content.
Il a dit à ses soldats :

— Tuez tous les garçons hébreux qui vont naître.

Une maman juive a voulu sauver son garçon. Il était un tout petit bébé.
La maman a mis son garçon dans une corbeille au bord du fleuve.
La fille du pharaon a vu le bébé. Elle l'a adopté et elle l'a appelé Moïse.

Les Hébreux étaient des esclaves. Ils travaillaient très fort. Ils pleuraient.
Ils disaient à Dieu :

— Nous sommes fatigués. Aide-nous !

Moïse a grandi dans la maison du pharaon. Moïse voulait aider les
Hébreux. Il ne savait pas quoi faire.

Un jour, Moïse a vu comme une grande lumière. Un feu a réchauffé son cœur. Il a prié et écouté Dieu, qui lui parlait au fond du cœur :

— Aide les Hébreux à sortir d'Égypte. N'aie pas peur ! **Je serai avec toi.**

Moïse a rencontré le pharaon plusieurs fois. Le pharaon ne voulait pas laisser partir les Hébreux. « Non, Non. » disait-il. Finalement, il a accepté.

Moïse a dit aux Hébreux :

— Ramassez quelques vêtements. Suivez-moi.

Les Hébreux ont marché longtemps.
Puis, ils se sont arrêtés au bord de la mer.

Le pharaon regrettait sa décision. Il a dit à ses soldats :

— Poursuivez les Hébreux.

Les Hébreux ont eu très peur en voyant les soldats du pharaon. Moïse a rassuré les Hébreux :

— Nous ne sommes pas seuls. Dieu est avec nous. Il nous l'a promis !

Un grand vent
a fait baisser
les vagues de
la mer. Les Hébreux
ont traversé la mer.
Moïse était à leur tête.

Les Hébreux ont dansé
de joie. Ils ont chanté
pour remercier Dieu :

— Merci, merci, Dieu. Tu nous a sauvés.

Une nouvelle vie commençait.
Je crois que Dieu est notre Sauveur !

Tu connais maintenant l'histoire de Moïse.
Qu'est-ce que tu préfères dans cette histoire ?

▶ Trouve deux dessins qui montrent ce que tu préfères.

Méli-Mélo

J'ai bien écouté le récit de grand-père. Je ne veux rien oublier.
Aide-moi à me souvenir de ce que grand-père a raconté.

▶ À l'aide des chiffres 1 à 4, mets les morceaux de l'histoire dans l'ordre.

J'ai laissé tomber tous mes dessins ! Je voulais les apporter à Kim et à Alexandre. Je voulais leur parler des Hébreux en Égypte. Aide-moi !

▶ Relie avec ton doigt la parole et le dessin qui vont bien ensemble.

— Mon Dieu, aide-nous !

— Merci !

— Je serai avec toi.

— Non. Non.

Imagine que tu viens de traverser la mer avec les Hébreux. **Comment te sentirais-tu ? Que dirais-tu à Dieu ?**

▶ Observe les cartes. Choisis celle qui va bien avec ce que tu ressens.

▶ Lis les mots qui entourent les cartes. Choisis ceux que tu dirais à Dieu.

Tu es notre Sauveur

Merci

Je t'aime

Grand-mère nous attend. Partons !

Comme Moïse

Dieu nous aide comme il a aidé les Hébreux. Je connais des personnes qui ressemblent à Moïse. Ces personnes manifestent l'amour de Dieu.

Marguerite d'Youville a vécu au Canada il y a bien longtemps. Elle a pris soin des personnes qui manquaient de nourriture et de vêtements.

Luc, Anne et leurs amis servent des repas aux gens qui n'ont pas de maison.

Denise prend soin de Maria, une personne malade. Maria reconnaît la bonté de Dieu.

Tu connais sûrement des personnes qui aident les autres. **Pense à l'une d'elles en particulier.**

Cherchons ses traces

Les Hébreux ont reconnu les traces de Dieu. Ils ont découvert la présence de Dieu lors de leur sortie d'Égypte. Les Hébreux remerciaient Dieu de les avoir sauvés par Moïse. Quels faits ont permis aux Hébreux de découvrir la présence de Dieu ?

▶ Revois l'histoire des Hébreux. Choisis deux faits qui montrent ce que Dieu a fait pour les Hébreux.

▶ Dessine sur une feuille les deux faits que tu as choisis.

Je serai avec toi.

À qui cela me fait penser ?

Kim, Alexandre et leurs amis

Album de photos

J'ai regardé les photos de Gustave pendant des heures. Elles me font rêver ! **Quelles photos choisirais-tu pour décorer ta chambre ?**

▶ Choisis les deux photos que tu aimes le plus.

C'est beau !

On dirait que la mer ne finit pas !

Le ciel allume ses lumières !

Ça me fait sourire !

Plus petits que mon petit doigt !

Des paysages dans le ciel !

Je me demande si l'une des photos te fait penser à Dieu. Prends le temps de réfléchir.

▶ Réponds à cette question en disant oui ou non.

▶ Si tu as répondu « oui », décris la photo qui te fait le plus penser à Dieu.

Au commencement

En route pour Nazareth ! J'ai une question à poser à grand-père au sujet de la création.

Dieu a pris soin des Hébreux. Dieu a montré son amour : il a libéré les Hébreux d'Égypte avec l'aide de Moïse.

L'amour, c'est quelque chose de grand. L'amour, c'est quelque chose qui ne finit jamais.

Les Hébreux étaient pleins d'amour pour Dieu. Ils regardaient les étoiles, le soleil ou la lune et ils pensaient à Dieu. Les Hébreux se disaient :

— Dieu nous a libérés d'Égypte. C'est sûrement lui aussi qui a fait toutes ces merveilles. Dieu est avec nous depuis le commencement du monde.

Nos ancêtres ont écrit un beau poème pour parler de Dieu et de la création.

Tout était noir.
Dieu a dit : Que la lumière soit !
Ce fut le premier jour.

Le deuxième jour, Dieu a fait le ciel et les nuages.

Le troisième jour, Dieu a séparé la terre et l'eau. Les plantes et les fleurs se sont mises à pousser sur la terre.

cela était bon. »

Le quatrième jour, Dieu a fait le soleil, la lune et les étoiles.

Le cinquième jour, Dieu a créé les poissons et les oiseaux.

Le sixième jour, Dieu a fait tous les animaux de la terre, puis Il a créé l'homme et la femme. Dieu a vu que cela était très bon.

Le septième jour, Dieu s'est reposé. Il a regardé sa création. Dieu était très content.

Dieu avait raison
d'être content !

Il a eu raison de
se reposer.

La création est une merveille.
Elle me parle de Dieu.

Est-ce que tout le monde est de ton avis ?

Non. Étienne, le maçon du village, ne pense pas comme moi.

Il aime la nature. Il aime les couchers de soleil. Mais Étienne ne croit pas en Dieu. Il ne sait pas si Dieu existe pour vrai.

Comme vous voyez, les gens ne sont pas tous pareils !

Quel beau poème ! Quand je l'écoute, je pense à Dieu.
Quel jour de la création te fait le plus penser à Dieu ?

► **Tu peux en discuter avec
tes amis et tes parents.**

Grand-mère a
quelque chose
à nous montrer.
On y va !

C'est beau !

L'eau est douce sur ma peau.
Elle rafraîchit l'herbe
et nourrit les fleurs.
L'eau me désaltère.
Joël

La terre est ronde comme un ballon.
Elle reçoit la pluie et le soleil.
Elle fait un tapis avec les feuilles.
La terre accueille les grands et les petits.
Sara

La lumière me rassure.
Elle m'indique le chemin
et m'annonce le jour.
La lumière chante la joie.
Alexandre

Les étoiles sont les lumières du ciel.
Elles remplissent la nuit
et guident les avions.
Les étoiles me font dormir paisiblement.
Karina

J'ai planté des fleurs rouges et jaunes.
Elles poussent petit à petit
et colorent ma fenêtre.
Les fleurs me parlent de la vie.
Grand-mère

Les nuages voyagent partout dans le ciel.
Ils sont parfois gris comme des souris,
et parfois bleus comme la mer.
Les nuages sont la cachette des oiseaux.
Gustave

J'aimerais être un petit oiseau !
Je pourrais me promener d'un pays à l'autre
et découvrir de nouveaux paysages.
J'aime les oiseaux et toutes leurs couleurs.
Grand-père

▶ Tu peux écrire un poème toi aussi.

Des décorations

Mes murs sont remplis de beaux souvenirs. Je vois Kim, le jour de son premier anniversaire. Elle avait la figure barbouillée de glaçage au chocolat. **Quelles photos préfères-tu ?**

▶ Choisis deux photos qui représentent une situation que tu as vécue ou que tu aimerais vivre.

▶ Raconte cette situation à tes parents ou à tes amis.

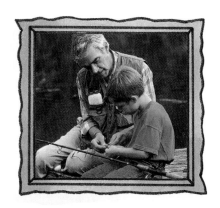

Certaines photos me font penser à Dieu.
En est-il de même pour toi ?

▶ Réponds à cette question en disant oui ou non.

▶ Si tu as répondu « oui », décris la photo qui te fait le plus penser à Dieu.

Cherchons ses traces

Les Hébreux croyaient que Dieu était au commencement du monde. Les Hébreux reconnaissaient les traces de Dieu dans les beautés de la création.

La création me fait penser à Dieu. Mais je découvre aussi sa présence dans l'amour des autres. **Toi, qu'est-ce qui te fait le plus penser à Dieu ?**

▶ Revois les photos qui te font penser à Dieu.
Revois le poème de la création.

▶ Dessine sur une feuille deux faits qui te font penser à Dieu.

Tout cela est bon.

Sara, Joël et leurs amis

Les jeunes de six ans et de douze ans font des activités différentes.
Es-tu d'accord avec moi ?

▶ Dis ce que tu peux faire à ton âge.

▶ Qu'est-ce que tu as hâte de faire à 12 ans ?

Prendre l'autobus.

Faire mon lit.

Mettre la table.

Faire du vélo.

Promener le chien.

Prendre des photos.

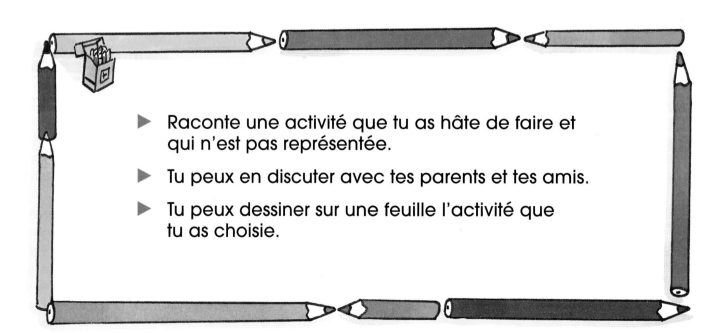

▶ Raconte une activité que tu as hâte de faire et qui n'est pas représentée.

▶ Tu peux en discuter avec tes parents et tes amis.

▶ Tu peux dessiner sur une feuille l'activité que tu as choisie.

Mes idées sur Dieu

Grand-père parle de Dieu à Sara et Joël. Ils apprennent ainsi à le connaître. **J'aimerais avoir ton idée sur Dieu. Voici quelques questions.**

▶ Choisis la réponse de ton choix. Tu peux aussi inventer ta réponse.

▶ Qui est Dieu pour toi ?

Pour moi, Dieu est :

- mon ami
- Dieu
- un protecteur
- je ne sais pas

▶ Qu'est-ce que Dieu fait pour toi ?

- il m'aide
- il me console
- il me donne le soleil
- rien

▶ Qui t'a parlé de Dieu ?

La personne qui m'a parlé de Dieu est :

- maman
- papa
- mes grands-parents
- mon professeur

▶ Qu'est-ce que tu dis à Dieu ?

Je lui dis :

- des secrets
- que je l'aime
- de m'aider à dormir
- rien

Un long voyage

Jésus aimait beaucoup Dieu. Il lui parlait.
Il lui confiait ses secrets.

À douze ans, Jésus a accompagné ses parents
à Jérusalem. C'était la fête de la Pâque.
Le voyage de Nazareth à Jérusalem était très long.

Regarde la carte que je t'ai apportée.

▶ Relie avec ton doigt la maison de Nazareth au Temple de Jérusalem.

▶ Dans cette histoire, trouve le nom que Jésus donne à Dieu.

Les routes étaient pleines de voyageurs. Les enfants pouvaient se perdre dans la foule !

Les gens s'arrêtaient pour pique-niquer. Le soir, ils dormaient à la belle étoile ou à l'auberge.

Cette année-là, Jésus avait douze ans. Il a assisté aux fêtes de la Pâque avec Marie et Joseph, ses parents.

Marie et Joseph sont repartis pour Nazareth après la fête. Ils croyaient que Jésus marchait avec des parents ou des amis.

Le soir, Marie et Joseph ont cherché Jésus partout. Il était introuvable. Ils étaient tristes. Ils avaient perdu Jésus !

Marie et Joseph sont retournés à Jérusalem. Personne n'avait vu Jésus. Marie et Joseph étaient inquiets.

Ils sont allés au Temple. Jésus était là. Il parlait avec des savants. Il leur donnait son idée sur Dieu. Marie et Joseph étaient soulagés.

Marie s'est approchée de Jésus. Elle lui a dit :

— Nous t'avons cherché partout.

Jésus a regardé ses parents avec amour. Il a dit :

— Ne vous inquiétez pas. J'étais resté au Temple pour parler de Dieu, mon Père.

Marie et Joseph étaient surpris de la réponse de Jésus.

Jésus est retourné à Nazareth avec ses parents. Marie pensait souvent à ce que son fils lui avait dit. Jésus a grandi et est devenu un jeune homme. Il aimait Dieu de tout son cœur.

Venez à moi

Jésus est devenu une grande personne. Il avait hâte d'annoncer à tout le monde que Dieu était comme un Père. Un jour, Jésus a quitté ses parents et son village.

Le cœur de Jésus était rempli de l'amour de Dieu.

Au bord d'un lac, Jésus a aperçu quatre pêcheurs. Il leur a dit :

— Est-ce que vous voulez travailler avec moi ?

Les pêcheurs s'appelaient Simon, André, Jacques et Jean. Ils ont répondu à Jésus :

— Tout de suite !

Jésus a invité d'autres hommes à faire partie de son groupe. Ils étaient les douze disciples spéciaux de Jésus.

Les disciples écoutaient Jésus. Ils voyaient ce que Jésus faisait. Ils apprenaient à connaître Dieu.

Un jour, des enfants jouaient dans la rue. Jésus est arrivé. Les enfants ont sauté et crié de joie autour de lui.

Les disciples n'étaient pas contents. Ils disaient aux enfants :

— Reculez.

Les enfants étaient tristes. Jésus les a regardés et leur a souri.

Il a pris un enfant dans ses bras, comme un bon papa.

Jésus a dit à ses disciples :

— Laissez les enfants venir à moi. Je les aime beaucoup.

Jésus a expliqué une chose importante :

— Dieu est notre Père. Nous sommes ses enfants. Il nous accueille comme j'accueille ces petits enfants. Vous pouvez parler à Dieu dans votre cœur. Dites-lui : Papa, notre Père.

Les disciples étaient surpris.

Un jour, Jésus admirait des lis. Il a dit à ses disciples :

— Les lis ont mis leurs plus beaux vêtements ! Ils sont mieux habillés que le roi le plus riche !

Ne vous inquiétez pas. Dieu prend soin de vous comme un père qui aime ses enfants.

Regarde les illustrations. Un problème est arrivé.
Je ne me souviens plus des paroles des personnages.
Trouve ce que les personnages ont dit.

▶ Réponds aux questions de Passeport. Utilise les mots
qui sont dans les bulles.

Qu'est-ce que Jésus a dit aux enfants ?

Qu'est-ce que les disciples ont dit aux enfants ?

Qu'est-ce que Jésus a dit aux disciples ?

Reculez !

Venez à moi.

Ne vous inquiétez pas.

J'ai un rendez-vous avec grand-mère. À bientôt !

Comme Jésus

Jésus était bon envers les enfants et ses disciples.

Je me rappelle avoir lu l'histoire de Jean Bosco. Il était prêtre et vivait en Italie il y a bien longtemps. Jean Bosco me fait penser à Jésus.

Jean Bosco prenait soin des enfants abandonnés.

Il jouait avec eux et les consolait. Il était comme un papa.

Jean Bosco montrait à lire aux enfants. Il leur enseignait un métier.

Les enfants écoutaient Jean parler de Dieu. Ils apprenaient à connaître Dieu. Ils découvraient que Dieu est un Père.

J'ai une amie qui s'appelle Émilie. Elle s'occupe des enfants de la voisine qui est malade. Elle les aime comme ses enfants.

Papi va au cinéma avec Antoine. Il aime lui faire plaisir et passer du temps avec lui.

Chaque jour, des personnes me font penser à Jésus. Certaines habitent tout près de chez toi ou dans ta maison.

Connais-tu une personne qui accueille les autres comme Jésus ?

Cherchons ses traces

Les disciples regardaient et écoutaient Jésus.
Ils découvraient que Dieu les aimait comme un Père.

Qu'est-ce que Jésus faisait ?

▶ Choisis deux faits de la vie de Jésus qui te montrent que Dieu nous aime comme un Père.

▶ Dessine sur une feuille les deux faits que tu as choisis.

Dieu, notre Père.

Quel est mon nouveau nom ?

Kim, Alexandre et leurs amis

Ta naissance a été un très grand événement ! Il y avait beaucoup de joie dans la maison. Tes parents ont peut-être choisi de te faire baptiser. **Raconte l'histoire de ta naissance ou de ton baptême.**

L'eau et la vie

L'eau cause parfois des problèmes. Un de ces problèmes s'appelle une inondation.

L'eau est nécessaire à la vie. Nous avons besoin d'eau pour vivre. **Es-tu d'accord avec moi ? Réfléchis et regarde les photos de l'oncle Gustave.**

▶ Associe chaque pancarte aux photos de ton choix.

Les vagues de la mer sont très hautes.

L'eau est comme une musique.

Danger !

Beau et bon !

Les rues et les maisons sont inondées.

Les plantes et les légumes sont en santé.

La lumière et la vie

Hier soir, j'avais très froid. Il faisait noir. Je ne voyais rien. Je cherchais du feu et de la lumière.

La lumière est bonne pour la vie.

▶ Relie avec ton doigt les dessins qui vont bien avec les textes.

La lumière
me réchauffe.

La lumière
me rassure.

La lumière
m'éclaire.

Le feu me réchauffe
le cœur.

Le baptême de Charles

Charles, le frère de Kim et d'Alexandre, a été baptisé. Plusieurs invités étaient présents. Le parrain et la marraine de Charles sont des amis de la famille. Ils s'appellent Lisa et Wong. Ils aiment beaucoup Charles.

Voici quelques souvenirs de ce grand jour. **Lis ce qui est écrit près des photos.**

Bienvenue à tout le monde. Bienvenue à Charles. C'est un grand jour pour lui !

Charles, Dieu t'aime beaucoup. Il te montre son amour par ta famille, par ton parrain et ta marraine. Charles, Dieu met son amour dans ton cœur.

Charles, je fais un signe de la croix sur ton front. C'est le signe de l'amour de Dieu. Charles, tu es l'enfant bien-aimé de Dieu. Je te baptise :

Au nom du Père, et du Fils, et du Saint-Esprit.

Charles, je verse de l'eau sur ton front. L'**eau** représente la vie. Dieu est content que tu sois vivant. Tu es son enfant.

Charles, Dieu est avec toi depuis ta naissance. Il sera avec toi tous les jours de ta vie. Dieu t'éclaire et te guide. Il est ta **lumière**.

Charles, tu fais partie d'une grande famille. C'est la famille des enfants de Dieu.

Observe de nouveau les illustrations.
Nomme les gestes que le prêtre a faits
pour baptiser Charles.

▶ Trouve les paroles que le prêtre a dites pour baptiser Charles.

▶ Trouve deux mots qui ne sont pas écrits comme les autres mots.
Réponds aux questions suivantes en utilisant ces deux mots.

• Qu'est-ce qui représente la nouvelle vie?

• Qu'est-ce qui représente la présence de Dieu?

▶ Trouve le nouveau nom de Charles en replaçant les lettres dans le
bon ordre.

| n | n | t | e | f | a |

Charles, l'✳✳✳✳✳✳ de Dieu.

Cherchons ses traces

Charles grandit. Dieu est avec lui quand il dort, quand il joue, quand il rit et pleure.

Dieu est aussi présent dans la vie de Kim et d'Alexandre. Ils ne voient pas Dieu avec leurs yeux. Mais ils sont certains que Dieu est avec eux. Ils reconnaissent ses traces. **Peux-tu reconnaître les traces de Dieu dans ta vie?**

Tu es mon enfant.

Est-ce que Dieu est proche de nous ?

Kim, Alexandre et grand-mère

Tu es à la place d'Alexandre.
Comment est-ce que tu te sens ?

Un bon repas

Est-ce que Dieu est proche de nous ? Les disciples ont regardé Jésus agir et ils ont écouté ses paroles. Ainsi, ils ont trouvé la réponse à cette question.

Je te raconte quelques faits.

Jésus est arrivé à Jéricho. Tout le monde voulait le voir. Zachée attendait la visite de Jésus depuis longtemps.

Les gens n'aimaient pas Zachée. Il n'avait pas d'amis.

Zachée était très petit. Il ne pouvait pas voir par-dessus les épaules des gens.

Zachée est monté dans un arbre. Il s'est assis sur la plus grosse branche.

Zachée a vu Jésus. Le cœur de Zachée battait très vite.
Jésus s'est arrêté. Il a regardé Zachée et il lui a dit :

— Descends. J'aimerais aller dans ta maison.

Heureux, Zachée a marché avec Jésus vers sa demeure.

Avant le repas, Jésus et Zachée se sont assis. Ils ont parlé.
Zachée a écouté Jésus et lui a dit :

— Je vais donner de l'argent aux pauvres. Je vais remettre
l'argent que j'ai demandé en trop.

C'était la première fois de sa vie que Zachée donnait quelque chose.
Les disciples étaient surpris. Jésus leur a dit :

— Je suis venu pour aider des gens comme Zachée. Je suis venu leur
montrer que Dieu les aime.

Imagine… Tu es à Jéricho. **Rapporte
ce que tu viens de voir et d'entendre.**

▶ Découvre la lettre qui se cache derrière chaque dessin dans les
bulles. Tu trouveras ainsi ce que les personnages disent.

Je suis trop

Bonjour, Zachée
J'aimerais aller dans ta

Je vais

de l'argent aux
pauvres.

Dieu

Zachée.

a	d	e	i

m	n	o	p

r	s	t

Pense à Zachée. Essaie de te mettre à sa place.
Comment se sentait Zachée dans son cœur?

▶ Tu peux en discuter avec tes amis.

La brebis perdue

Certaines personnes ne comprenaient pas Jésus. Elles lui reprochaient de manger avec des gens comme Zachée.

Jésus ne leur a pas répondu. À la place, il leur a raconté cette histoire.

Il était une fois un berger. Il avait cent brebis. Il les aimait beaucoup. Il connaissait chaque brebis par son nom.

Un soir, une des brebis n'est pas revenue au bercail. Le berger se disait :

— Un loup a peut-être mangé ma brebis. Elle est peut-être tombée dans un fossé.

Le berger a cherché sa brebis pendant des heures. Finalement, il l'a aperçue. Elle cherchait sa route. Le berger a pris sa brebis dans ses bras.

Il l'a mise sur ses épaules pour la ramener chez lui.

Le berger était content. En arrivant chez lui, il a appelé ses amis :

— Venez chez moi. Il faut fêter le retour de ma brebis !

Dieu est comme le berger. Dieu est très content quand on retrouve une personne perdue, comme Zachée.

Imagine que tu fais partie du groupe des disciples. Tu viens d'entendre l'histoire de Jésus. **Peux-tu la raconter à ton tour? Pourquoi se sentait-il ainsi?**

▶ Regarde les deux illustrations ci-dessous. Imagine ce qui se passe dans la tête et le cœur du berger. Pour t'aider, réponds aux questions qui sont dans les bulles.

Le lépreux guéri

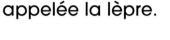

Jésus prenait soin des autres. Il s'approchait des gens malades. Il prenait même le risque d'attraper leurs maladies.

Jésus et ses disciples se promenaient dans une ville. Tout à coup, Jésus a vu un homme couvert de plaies. Il avait une maladie appelée la lèpre.

L'homme ne pouvait pas vivre avec sa famille, à cause de sa maladie. Il était triste.

Le lépreux a vu Jésus. Il lui a dit :

— Guéris-moi.

Les disciples de Jésus avaient peur d'attraper la maladie du lépreux. Ils ont surveillé Jésus de loin.

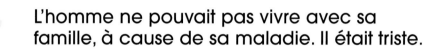

Jésus est resté tout près du malade. Il a touché le lépreux. Il lui a dit :

— Tu es guéri.

Le lépreux a sauté de joie. Les disciples ont pensé :

— Dieu nous aime beaucoup.

Prends le temps de bien réfléchir.
Comment se sentait le lépreux avant et après sa guérison ?

▶ Regarde les deux illustrations ci-dessous. Imagine ce qui se passe dans la tête et le cœur du lépreux. Pour t'aider, réponds aux questions qui sont dans les bulles.

Selon toi, pourquoi est-ce que je me sens malheureux ?

Selon toi, est-ce que j'ai raison d'être heureux ? Dis pourquoi.

Que lui est-il arrivé ?

Jésus voulait savoir ce que ses disciples pensaient de lui. Pierre aimait beaucoup Jésus. Il lui a répondu :

— Toi, Jésus, tu es proche de Dieu.

Toi, Jésus, tu es le **** de ****.

Les chefs du pays n'étaient pas contents. Certains voulaient faire mourir Jésus. Jésus le savait.

▶ Découvre la lettre qui se cache derrière chaque dessin.
Tu trouveras ainsi les mots qui manquent.

d	e	f	i	l	s	u

Jésus a fêté la Pâque avec ses disciples. Après le repas, ils sont allés dans un jardin. Jésus a prié Dieu, son Père.

Des soldats ont arrêté Jésus. Ils lui ont attaché les mains.

Les soldats ont conduit Jésus chez le gouverneur Pilate.
Pilate a condamné Jésus à mort.

Jésus a porté sa croix sur ses épaules. Il était très fatigué. Un homme appelé Simon a aidé Jésus à porter sa croix.

Jésus a été crucifié. Sa mère et Jean, un des disciples, étaient au pied de la croix.

Au milieu de l'après-midi, Jésus a incliné la tête et il est mort.

Un soldat romain s'est écrié :

— Jésus était vraiment le fils de Dieu !

Le corps de Jésus a été placé dans un tombeau. On a roulé une pierre devant l'entrée du tombeau.

Jésus avait une amie qui s'appelait Marie. Le premier jour de la semaine, Marie s'est rendue au tombeau de Jésus. Elle a vu que la pierre avait été enlevée. Elle a entendu son nom :

— Marie !

Elle a répondu :

— Jésus !

Remplie de joie, Marie est allée dire aux disciples :

— J'ai vu Jésus, le Seigneur.

Marie a reconnu Jésus. Il était vivant ! Je crois que grand-mère veut nous présenter quelqu'un.

Comme Jésus

Je connais des personnes qui aiment les autres comme Jésus. Quand j'étais petite, j'ai entendu parler de Damien. En le regardant, on pensait à Jésus qui prenait soin des autres.

Damien était un prêtre. Un jour, il est allé travailler dans une île, loin de son pays. Il a pris soin des lépreux.

Je connais un médecin qui est très bon. Il prend soin des enfants malades. Il les rassure et les console.

Kim et Alexandre viennent me voir quand je suis triste.

Ils me font vivre dans la joie.

Connais-tu une personne qui est proche des autres ?

Cherchons ses traces

Les disciples regardaient et écoutaient Jésus. Ils découvraient que Dieu était proche d'eux. **Qu'est-ce que Jésus a fait ? Revois les événements de la vie de Jésus.**

▶ Regarde les illustrations des pages précédentes. Choisis deux illustrations qui te montrent que Dieu est proche de nous.

▶ Dessine sur une feuille les deux faits que tu as choisis.

Dieu est proche de nous.

2 Dans ma tête et dans mon cœur

Chut !

Je me demande

Cédric et Karina ont des choses à te raconter. **Prends le temps de bien réfléchir.**

L'été dernier, j'ai couché sous la tente. Il faisait noir ! J'entendais toutes sortes de bruits bizarres. Des chats, des maringouins... J'avais un peu peur. J'ai pensé :

— Il n'y a pas de danger. Papa et maman sont dans la tente à côté.

J'ai fermé les yeux. Le sommeil est venu.

— Je n'arrête pas de bouger. Je ne suis pas capable de rester tranquille. Ma mère me dit que j'ai la « bougeotte ».

Le soir, je me couche et je me relève cinq minutes après.

À l'école, j'ai la tête dans les nuages. Sylvie, mon enseignante, me sort de la lune. **Je me demande si c'est important de s'arrêter pour penser.**

As-tu déjà entendu des bruits bizarres comme Cédric ?

▶ Est-ce que c'est facile ou difficile pour toi de garder le silence ?

Je pense dans ma tête

Cédric voit toutes sortes de choses dans sa tête. Moi aussi. **À quoi penses-tu dans ta tête quand tu fermes les yeux ?**

▶ Raconte ce à quoi tu penses.

Moi, je pense à...

Je parle avec mon corps

On peut parler sans employer des mots.
Qu'est-ce que tu peux dire avec ton corps ?

▶ Découvre la lettre qui se cache derrière chaque dessin. Tu trouveras ce que tu peux dire avec ton corps.

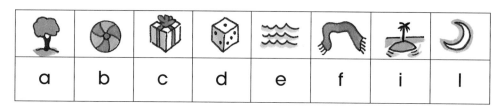

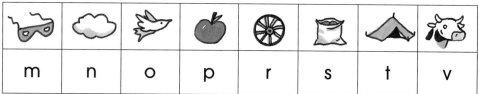

Parler avec Dieu

Kim et Alexandre parlent avec Dieu. Ils lui confient leurs joies et leurs peines. Ils prient avec des mots que tu connais bien. **Quelle prière préfères-tu ?**

▶ Choisis la prière que tu préfères. Tu pourrais redire cette prière.

Merci beaucoup.

Donne-moi des idées pour aider les autres.

Je n'ai plus d'amis. Reste avec moi.

Aide-moi à ne plus recommencer.

Vive la vie ! Je t'aime de tout mon cœur.

Merci pour tout. Bonne nuit.

Quelques prières

Un de mes ancêtres a été un grand roi. Il s'appelait David. Il a composé beaucoup de prières. On appelle ces prières : les psaumes. Jésus a prié avec les psaumes.

Le roi David utilisait des **images** pour parler de Dieu dans ses prières. Par exemple, il disait que Dieu était comme un rocher.

Lis les psaumes ci-dessous. Observe les mots qui ne sont pas écrits comme les autres.

Le Seigneur est ma **lumière**,
il me protège,
il me sauve.
Je n'ai plus peur.

Le Seigneur est mon **abri**,
il reste avec moi,
il écoute ma peine.
Je n'ai plus peur.

Le Seigneur est mon **rocher**,
il me rassure.
Je peux me reposer.

▶ Lis la première ligne du psaume que tu préfères.

▶ Dessine sur une feuille l'image du psaume que le roi David a choisie pour parler de Dieu.

Notre Père

Jésus a enseigné une prière à ses disciples. Je la redis souvent. **Lis la prière de Jésus et mes commentaires.** Tu pourras mieux comprendre ce que signifie le Notre Père.

Notre Père,
qui es aux cieux,
que ton nom soit sanctifié,
que ton règne vienne,
que ta volonté soit faite sur
la terre comme au ciel.

Donne-nous aujourd'hui
notre pain de ce jour.

Pardonne-nous nos offenses,
comme nous pardonnons
aussi à ceux qui nous ont
offensés.

Et ne nous soumets pas à la
tentation, mais délivre-nous
du Mal.

Je suis ton enfant.

J'ai confiance en Toi.

Je souhaite que tout le monde te connaisse.

J'ai besoin de toi.

Je ne veux faire de mal à personne.

► Choisis les mots du Notre Père que tu aimes le plus.

► Invente des gestes qui vont bien avec les mots que tu as choisis.

► Associe les paroles de l'enfant, dans la colonne de droite, aux paroles du Notre Père, dans la colonne de gauche.

Ma réponse

Karina se demandait s'il est important de s'arrêter pour penser. Que lui répondrais-tu ?

Je ne sais pas quoi faire

Le roi Salomon

Je viens de rencontrer Ali. Il pleurait. Je me suis approché de lui. Il m'a flatté l'oreille sans rien dire. Je suis certain qu'il a un problème. Le grand-père de Sara et de Joël m'a invité. Il paraît que Sara a une grosse décision à prendre. Viens avec moi à Nazareth. Accroche-toi à mes oreilles !

Grand-père, je suis embêtée. Comment faire pour prendre une bonne décision ?

Je vais te raconter une histoire. **Essaie de trouver une réponse à ta question.**

Il était une fois un roi. Il s'appelait Salomon. Il voulait être un bon roi.

Certaines personnes venaient voir Salomon pour lui demander conseil. D'autres personnes venaient le voir pour résoudre des problèmes.

Salomon avait souvent des grosses décisions à prendre.

Il ne trouvait pas son travail facile. Salomon **réfléchissait**. Il **priait** Dieu. Il demandait à Dieu de l'éclairer.

Dieu aidait Salomon à prendre des bonnes décisions. On disait du roi qu'il était un homme sage.

 Qu'est-ce que Salomon a fait pour prendre une bonne décision ? Découvre les lettres qui se cachent sous chaque dessin. Tu connaîtras les conseils que Salomon te donne.

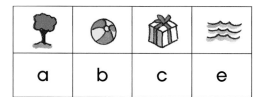

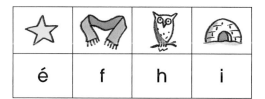

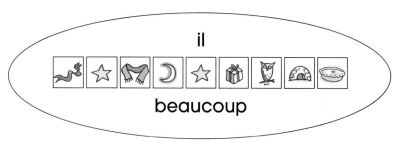

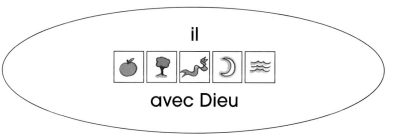

 Je vais faire comme Salomon.

 C'est la première chose à faire. Si tu veux en savoir plus, demande conseil à Passeport. Je lui ai donné mes secrets pour résoudre un problème.

Ali et Cédric

Bonne nouvelle ! Sara a résolu son problème. Je ne peux pas te dire comment elle a fait. C'est un secret entre Sara et moi. Je vais plutôt te raconter ce qui est arrivé à Cédric. **Ouvre tes yeux et tes oreilles.**

Ali et Cédric sont deux grands amis. Hier, ils jouaient dehors ensemble. Cédric a lancé le ballon très fort. Malheur ! Il a brisé la fenêtre de sa chambre.

La mère de Cédric n'était pas contente. Elle est sortie de la maison et elle a disputé Ali. Elle lui a dit de ne plus recommencer.

Ali est parti sans regarder Cédric.

Cédric se demande quoi faire. Il n'a rien dit quand Ali a été accusé à sa place.

Que s'est-il passé ?

► Raconte ce qui s'est passé chez moi.

Je revois dans ma tête ce qui s'est passé. **Fais comme moi.**

Quels sont mes choix ?

Je me demande ce que Jésus ferait à ma place.

Je peux faire deux choses. Je peux dire la vérité à maman. Je peux cacher la vérité.

Qu'est-ce qui arrive si je dis la vérité ? Qu'est-ce qui arrive si je cache la vérité ? **Aide-moi à trouver les réponses à mes questions.**

▶ Relie avec ton doigt chacun de mes choix aux dessins
et commentaires suivants.

Ma mère va me disputer.

Je dis la vérité.

Je cache la vérité.

Ali sera content.

Ma mère va rester fâchée contre Ali.

Ali ne voudra plus être mon ami.

Je prends une décision.

▶ Choisis la réponse de ton choix.

Je dis la vérité.

Je cache la vérité.

J'ai bien réfléchi. Je
sais ce que je vais faire.
Quelle décision prendrais-tu
à ma place ?

▶ Retranscris sur une feuille la réponse de ton choix.

▶ Explique à tes amis pourquoi tu prendrais cette décision.

Kim et Josianne

Kim a un petit problème.
Elle a besoin de tes conseils.
Voici ce qui est arrivé.

Kim et Josianne sont voisines. Josianne s'est cassé un bras. Le médecin lui a interdit de patiner. Elle trouve le temps long. Kim a promis à Josianne d'aller au cinéma avec elle.

Kim a changé d'idée. Elle ne veut plus aller au cinéma. Quelques minutes avant le départ, elle téléphone à Josianne. Elle lui dit qu'elle préfère regarder la télévision.

Josianne est déçue.
Kim est mal à l'aise.
Elle réfléchit...

Que s'est-il passé ?

▶ Raconte ce qui s'est passé entre moi et Josianne.

Je revois dans ma tête ce qui s'est passé. **Fais comme moi.**

Je me demande ce que Jésus ferait à ma place.

Quels sont mes choix ?

Je peux faire deux choses. Je peux inviter Josianne à regarder la télévision avec moi. Je peux laisser Josianne toute seule. Qu'est-ce qui arrive si j'invite Josianne chez moi ? Qu'est-ce qui arrive si je laisse Josianne toute seule ? **Aide-moi à trouver les réponses à mes questions.**

► Relie avec ton doigt chacun de mes choix aux dessins et commentaires suivants.

Josianne ne me croira plus.   Josianne va s'ennuyer.

J'invite Josianne chez moi.

Je laisse Josianne toute seule.

Josianne va me pardonner.   Josianne va s'amuser.

Je prends une décision.

J'ai bien réfléchi. Je sais ce que je vais faire. **Quelle décision prendrais-tu à ma place ?**

► Choisis la réponse de ton choix.

J'invite Josianne chez moi.

Je laisse Josianne toute seule.

► Retranscris sur une feuille la réponse de ton choix.

► Explique à tes amis pourquoi tu prendrais cette décision.

Des secrets

Le roi Salomon avait raison. Il faut réfléchir pour prendre une bonne décision. N'oublie pas les secrets de grand-père. Ils peuvent t'aider à prendre une bonne décision.

▶ Quels sont les trois secrets de grand-père ? Pour t'aider, tu peux répondre aux questions suivantes.

 Qu'est-ce que Cédric et Kim ont revu dans leur tête ?

 Qu'est-ce que Cédric et Kim ont cherché pour prendre une bonne décision ?

 Finalement, qu'est-ce que Cédric et Kim ont fait ?

3 C'est le temps de fêter

Vive Noël !

Je vois Noël

La fête de Noël s'en vient. Je vois partout des signes que Noël approche. **Ouvre tes yeux. Regarde autour de ta maison et de ton école.**

▶ Choisis le signe que tu préfères. Tu pourrais le dessiner.

Photo : Crèche de Michel Forest, 1985-1989. Coll. Oratoire Saint-Joseph.

Moi aussi, j'attends

J'aime visiter les enfants à Noël. Je les regarde. Je les écoute parler. Certains sont joyeux et d'autres sont tristes. Tous les enfants que je rencontre font des rêves. Ils attendent quelque chose ou quelqu'un. **Qu'est-ce que tu attends à Noël ?**

▶ Choisis l'illustration qui représente ce que tu attends. Tu peux aussi inventer ta réponse.

J'attends la visite de mon ami.

Je rêve à la paix.

Nous attendons les vacances de Noël.

Je rêve à ma nouvelle paire de patins.

Qui fêtes-tu à Noël ?
Grand-père nous attend.
En route !

Une belle nuit

Depuis très longtemps, les Juifs attendaient la naissance d'un enfant spécial. Un homme sage, nommé Isaïe, avait annoncé cette naissance. Isaïe avait promis que cet enfant apporterait la paix et l'amour de Dieu.

Un jour, la promesse faite par Isaïe s'est réalisée.

Certains mots se sont envolés du récit. Ils se sont posés un peu partout dans les pages. **Complète le récit.**

▶ Retrouve les mots qui manquent.
Lis les phrases en utilisant ces mots.

grotte

auberge

chef

***** était une jeune fille. Elle vivait à Nazareth.

Elle aimait beaucoup Dieu et pensait souvent à

Lui. Elle était fiancée à Joseph.

Un jour, un messager de Dieu a annoncé une

grande nouvelle à Marie.

— Tu vas mettre au monde un enfant, le Fils de

maison

Dieu. Il s'appellera *****. Il sera l'Emmanuel.

Ce nom veut dire : Dieu est avec vous.

cœur

Marie et ****** avaient hâte d'avoir leur bébé.
Ils préparaient leur ***** et leur ******. Un jour,
ils sont allés à Bethléem comme le **** du pays
l'avait demandé.

Joseph

Jésus

Marie était fatiguée. Elle avait besoin de se reposer.
Joseph ne trouvait pas d'*******. Marie et Joseph
sont allés dans une ****** . C'est là que Jésus
est né.

Marie

ALLÉLUIA

crèche

Des ****** surveillaient leur troupeau près de la
grotte. Ils sont entrés dans la grotte. Ils ont vu Jésus
couché dans une petite ******. Ils sont partis annoncer la nouvelle.

bergers

Dieu est avec nous

À Noël, on trouve des crèches dans plusieurs pays du monde. En voici quelques exemples.

États-Unis

Bangladesh

Belgique

Les crèches sont belles. Tu peux en faire une toi aussi.
À ton tour d'imaginer la crèche de Jésus.

▶ Tu peux illustrer une crèche toi aussi.

▶ Trouve le nom que Marie a donné à Jésus. Rappelle-toi...
Le messager de Dieu a dit ce nom à Marie.

Mes secrets

Tu connais le nom que Marie a donné à Jésus. Tu connais aussi ce que ce nom signifie.

Jésus est venu montrer que Dieu nous aime. Il a apporté beaucoup de joie. Noël est une fête remplie de joie.

À qui aimerais-tu apporter de la joie à Noël?

▶ Je vais écrire à Kim et Alexandre.

Bonjour vous deux,

J'ai pensé à vous toute la journée. J'ai décoré mon sapin. Tout est prêt pour la fête. J'ai hâte de vous voir.

Grosses bises,

Grand-mère

Le messager de Dieu a dit à Marie : Je te salue Marie. Le Seigneur est avec toi.

Ces paroles sont les premiers mots d'une prière que je récite souvent. Cette prière s'appelle : **Je te salue Marie.**

Je te reconnais

Kim, Alexandre et leurs amis

1 Je m'ennuie d'oncle Gustave. Il n'aurait pas dû déménager si loin !

2 Tu l'aimais beaucoup ?

1 Oui. Il me disait souvent : Karina, tu es mon amie.

2 Gustave était notre ami à tous. On pouvait tout lui raconter.

J'ai le cœur triste.

1 Pourquoi décores-tu des œufs de Pâques ?

2 Pour décorer la table. Pâques, c'est la joie. La sève monte dans les érables. Les écureuils sortent de leur cachette. La vie recommence.

1 Je n'ai pas le cœur à la fête.

2 Tu me fais penser aux amis de Jésus. Ils pensaient ne plus le revoir.

1 Est-ce qu'ils l'ont revu ?

2 Les amis de Jésus l'ont reconnu.

Comment l'ont-ils reconnu ?

Grand-mère, raconte-nous l'histoire que j'aime tant.

Comment te sentirais-tu à la place de Karina ?

Des disciples l'ont reconnu

Vous connaissez déjà une partie de l'histoire que je vais vous raconter. Passeport a une bonne raison de l'aimer. En effet, un âne comme lui a joué un rôle dans cette histoire. Passeport croit que cet âne était un de ses lointains cousins. Voici ce beau récit.

Les rues de Jérusalem étaient pleines de visiteurs. On entendait des cris, de la musique.

L'âne, cousin de Passeport, venait d'arriver à Jérusalem. Le bruit lui donnait mal à la tête. Il a fermé l'œil quelques minutes. Il n'a pas eu le temps de dormir. Un inconnu s'est approché.

L'inconnu a fait monter un homme sur le dos de l'âne. Cet homme était Jésus. Les gens semblaient l'aimer beaucoup. En effet, ils le saluaient avec des rameaux et criaient :

— Hosanna ! Tu viens au nom de Dieu !

Plus tard, la foule est partie. Jésus et ses disciples sont entrés dans une maison. Le cousin de Passeport était content. Il avait transporté sur son dos un homme important.

Jésus fêtait la Pâque avec ses disciples. Pendant le repas, Jésus a pris du pain. Il a béni le pain et l'a rompu. Ensuite, il a donné du pain à chacun de ses disciples.

Après le repas, il est allé dans un jardin qui s'appelait Gethsémani.

Certaines personnes n'aimaient pas Jésus. Des soldats sont entrés dans le jardin pour arrêter Jésus. Les chefs du pays l'ont condamné à mort. Jésus est mort sur une croix.

Le troisième jour, deux femmes sont venues au tombeau. Toutes les deux s'appelaient Marie. Elles étaient tristes parce que leur ami Jésus était mort.

Les deux Marie sont arrivées au tombeau de Jésus. Elles ont eu la surprise de leur vie. Jésus est venu à leur rencontre. Il leur a dit :

— N'ayez pas peur. Dites à mes amis de retourner chez eux, en Galilée. C'est là qu'ils pourront me voir. Les deux Marie étaient pleines de joie.

Tu viens au nom de Dieu !

Deux disciples de Jésus retournaient chez eux, à Emmaüs. Ils marchaient et parlaient de leur ami Jésus. Ils étaient tristes.

Jésus est venu à leur rencontre. Les disciples ne l'ont pas reconnu. Les paroles de Jésus leur faisaient du bien. Il y avait comme une lumière dans leur cœur.

Je vais aller au jardin de Gethsémani.

Marie, nous ne verrons plus Jésus.

Il commençait à faire noir. Les disciples ont invité Jésus à rester avec eux.

À table, Jésus a pris du pain et l'a béni. Il a rompu le pain et en a donné aux deux disciples. Les disciples ont reconnu la présence de Jésus. Ils se sont dit :

— Jésus est ressuscité !

Je me sens triste,

N'ayez pas peur

Jésus est ressuscité !

Les autres disciples étaient partis en Galilée. Jésus est venu à leur rencontre. Il leur a dit :

— Je suis avec vous pour toujours.

Je suis avec vous pour toujours.

Alléluia !

Alléluia ! Alléluia ! Jésus est ressuscité !

Comment est-ce que tu te serais senti à la place des amis de Jésus ?

▶ Lis les paroles qui sont dans les bulles. Nomme les personnages à qui conviennent ces paroles.

Je me rappelle

Qu'est-ce que grand-mère
fête le jour de Pâques ?

▶ Replace les syllabes dans le bon ordre.

1. man di che

2. tie eu ris cha

3. miè re lu

▶ Lis les phrases suivantes en utilisant les mots que tu viens de trouver.

Le ******** me fait penser aux deux
Marie, les amies de Jésus. Elles sont allées
au tombeau pour voir Jésus. Elles ont
découvert que Jésus était ressuscité.
J'imagine leur joie.

Le dimanche, je vais à l'église pour
l'***********.
J'écoute les paroles du prêtre.
Je reconnais les paroles de Jésus.
Je pense à la joie des disciples d'Emmaüs.

Le jour de Pâques, je célèbre la résurrection
de Jésus. Pâques est la fête de la joie. La joie
me fait penser à la *******.
Jésus ressuscité est ma lumière.

Cherchons ses traces

Jésus est avec nous. Je ne le vois pas avec mes yeux, mais je reconnais ses traces. **Est-ce que tu peux, toi aussi, reconnaître ses traces ?**

Alléluia ! Alléluia ! Jésus est ressuscité. Chaque année, je fête Pâques en son honneur. Chaque jour, je reconnais sa présence dans ma vie. Jésus est vivant !

Je suis avec toi pour toujours.